KB171780

동물에게 배우는 행복하게 잠 드는 방법

동물에게 배우는 행복하게 잠 드는 방법

글 그림 나미

NANAMEE STUDIO

NANAMEE STUDIO

반짝반짝 빛나는

지금 이 순간을,

언제나 꿈꾸는

소소한 아틀리에

행복한 휴식과 잠이 필요한 친구들에게

이 책을 바칩니다.

친구에게

안녕, 친구야 다시 너에게 편지를 쓴다.

한동안 잠이 들기 전에도, 깨어나서도

불안하다는 너의 고민에 답을 주려고 해.

이번에는 동물에게 행복하게 잠드는 방법을 배웠어.

생각보다 정말 쉬워서 나도 종종

이렇게 잠이 들곤 해.

"잠이 오지 않을 때는 니가 좋아하는 것에 마음껏 집중해보는 게 어떨까?

어느 순간 졸음이 잔뜩 쏟아지고, 포근한 이불에 몸을 기대고 잠들어 버린

널 느낄 수 있을 거야."

- 고양이 -

" 한적한 오후 할 일이 없을 때는 편안한 마음으로 조금만 잠들자.

먼저 가장 넓은 창을 열고, 따뜻한 햇살이 가득한 쇼파에 눈을 감고 몸을 편안하게 기대어봐.

산들산들 불어오는 바람도 느끼고, 살포시 내리는 햇살의 따뜻함도 느끼자.

10초만 세면 넌 곧 슬며시 잠들 거야, 아주 행복하게 "

– 기린 –

"혼자 잠들기 무서운 밤에는 밖에 뜬 환한 보름달을 무드 등 삼아 곁에 묶어두고,

주변을 환하게 만들고 안심하고 잠에 드는 거야.

그럼 어느 순간 무서움은 사라지고

따뜻한 보름달과 포근한 산이 너를 든든하게 지켜줄 거야."

– 여우 –

" 잠이 오지 않을 때는 옆에 있는 담요에 몸을 슬쩍 눕혀봐.

그리고 눈을 감고 주문을 외워보자.

나는 행복하게 잠이 든다. 나는 행복하게 잠이 든다.

조금 있으면, 입꼬리를 올리며 잠든 너를 알 수 있을 거야."

- 고슴도치 -

" 잠이 오지 않을 때는 해 질 녘 쯤 눈이 오지 않은 잔 가지 많은 포근한 겨울 산에 누워봐.

겨울 산은 니가 기댈 수 있는 푹신한 잠자리를 제공하고,

노을 지는 하늘은 따뜻하고 포근한 기운을 만들어 줄 거야."

– 양 –

" 잠이 오지 않을 때는 달콤한 냄새가 솔솔 나는 슈가 파우더와 알록달록 레인보우 스프링클을 뿌린

솜사탕 위에 푹 쓰러져봐. 그리고 눈을 감고 천천히 달콤한 냄새를 코로 킁킁 맡아봐!

아마 함박웃음 지으며 퐁신한 솜사탕을 끌어안고 잠이 들 거야."

- 곰 -

" 잠이 오지 않을 때는 너에 대해 생각해봐!

눈을 감고 나는 누구인가? 나는 어떠한 사람인가? 에

대한 질문을 던지고 답을 찾으려고 한다면,

아마 금세 지루해져서 하품을 하고 있을 거야.

잠이 오지 않을 때 네가 관심이 없는 지루한 책을 읽는 것과 비슷한 원리야."

– 소 –

" 잠이 오지 않을 때는 좋아하는 사람 품에 꼭 안겨봐 그리고 토닥토닥 해달라고 해.

안락한 품속의 따뜻함이 너를 꿈나라로 데려가 줄 거야.

더 깊이 잠들고 싶다면 한 번 더 품속에 파고들어.

그럼 따뜻함이 너를 더욱 꼭 끌어안겠지."

– 레서판다 –

"잠이 오지 않는 새벽 눈을 감고 있어도,

이리 뒤척 저리 뒤척여도 정신이 말짱해질 때는

태초의 내가 생겨나서 잠들 던 그 자세 그대로 엎드려서 웅크려봐!

조금 이상하다고 생각할 수 있지만 은근 안정감 있는 자세야.

나를 믿고 따라 해볼 수 있었으면 좋겠어.

이제 이 이상하고 안정감 있는 자세를 취하고,

세상의 중심에서 고요하게 가만히 있는 너에게 집중해줘.

이상하고 개운한 기분으로 깨어난 너에게 놀라게 될 거야."

– 원숭이 –

"잠이 오지 않는 낮, 휴식을 취하고 싶은데

불안함을 느낄 때 따라 해봐!

이건 나에게 에너지를 주는 선물 같은 행동이라고

주문을 먼저 외우자.

그리고 뜨뜻한 사막의 모래를 이불 삼아

가슴 아래 까지 덮고 눕자.

조금은 따갑지만 뜨거운 햇빛과 살랑이는

바람을 만끽하면 기분 좋게 잠에 빠질 거야.

모래알이 씹혀서 금방 깨어나겠지만, 아주 깊은 단잠이

너의 몸을 가뿐하게 해줄 거야."

– 개 –

"잠이 오지 않는 스트레스로 지친 하루라면

아무 곳에나 풀썩 몸을 던져보자.

팔을 모아 스스로 나를 꼭 안아주자.

오늘 나는 괜찮다. 괜찮다.

위로하며 눈을 감아봐.

작은 풀잎들이 모두 모여 너를 안아 위로해줄 거야.

그리고 넌 살포시 잠 들 수 있어."

- 고양이 -

"하루 종일 푹 쉬고 싶은 날 잠이 안 올 때는

침대 위로 일단 몸을 던져봐!

뒹굴뒹굴 몸을 이리저리 굴려봐. 담요의 보드라운 감촉들이

너를 쓸어안아 주겠지.

잘했다 잘했다 쓸어주는 담요의 움직임에

너는 세상 모르게 쿨쿨 잠들 거야."

- 어린 사자 -

"해별은 화창하고 놀러 가기 진짜 좋은 날

저녁에 일이 있어 잠을 꼭 자야 하는데 잠이 오지 않을 때는,

푹신한 쿠션에 엎드려봐!

그리고 계속 하품을 한다. 하품을 한 10번 정도 하면

주문처럼 눈이 스스르 감긴다.

그리고 너도 모르게 마지막 하품을 끝으로 쿨쿨 잠을 잘 거야."

- 코끼리 -

"진짜 지쳐서 깊은 잠이 오랫동안 필요할 때는

침대 중앙에 몸을 옆으로 누이고,

몸이 스스로 침대에 녹아든다라는 생각에 집중해야 해.

녹아든다는 생각이 들 때쯤 긴장이 풀린 너는

진짜로 잠들어 있을 거야."

- 다람쥐 -

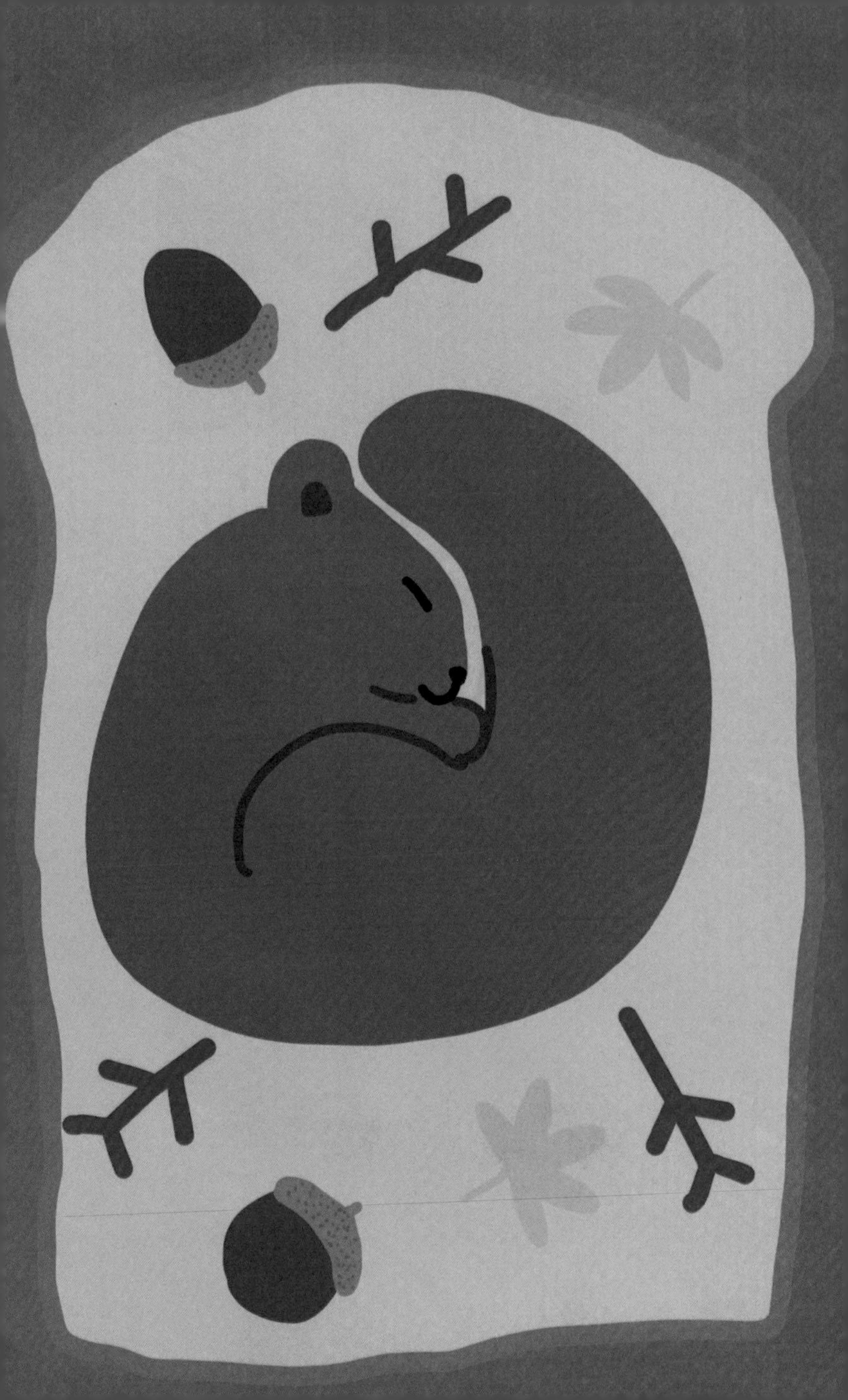

"네가 좋아하는 과자를 잔뜩 준비해서 배부르게 먹고는

그 옆에 과자를 쌓아 올리자.

그리고 그냥 거기에 기대서 행복하게 잠들면 되는 거야.

맛있는 냄새에 행복한 꿈을 꾸는 건 덤이지.

그냥 쉽게 할 수 있는 거니깐 그냥 해봐!"

- 표범 -

PRETZEL

한 가지는 아무 생각 없이 해보길 바래.

이 편지가 너에게 작은 해답이

되었으면 좋겠다.

오늘 하루는 행복하게 네가 잠들길 바라는

소중한 너의 친구로부터

동물에게 배우는 행복하게 잠 드는 방법

발 행 | 2022년 01월 20일

저 자 | 나미

펴낸이 | 한건희

펴낸곳 | 주식회사 부크크

출판사등록 | 2014.07.15(제2014-16호)

주 소 | 서울특별시 금천구 가산디지털1로 119 SK트윈타워 A동 305호

전 화 | 1670-8316

이메일 | info@bookk.co.kr

ISBN | 979-11-372-7129-6

www.bookk.co.kr